Dessins : Midam, Adam, Alessia Buffolo
Textes et adaptation : Araceli Cancino
Maquette : Giacomo Talone
Secrétaire d'édition : Annie Rombaux
Scénarisation demi-planches BD : Patelin, Midam
Couleur : Angèle, BenBK
Recette : Brigitte Carrère

Avec la participation de :
François Moutou, Hélène Beney et Yves Gomy alias Papy the bug

Remerciements notamment à :
Jeannine de Cardaillac, Philippe Cauvin, Hubert Leclercq, André Ledent,
Thomas Leroy, Jean-Pascal van Ypersele, François Meyniel, Camilla Patruno-Marmonnier,
Patrick Pinchart, Benoit Van Asbroeck

Merci à *La DH Les Sports* qui accueille Grrreeny dans ses pages depuis la création de cet univers.

DH
Les Sports

www.midam.be — www.madfabrik.com

Dépôt légal : mai 2010 — D/2010/12.212/1
ISBN 978-2-9600-9380-3 — NUART 65-2680-0
© MAD Fabrik, 2010
Photos : *Reporters* et *MAD Fabrik*

Impression : Lesaffre – Belgique
Cet ouvrage a été imprimé sur papier issu de forêts gérées de manière durable et équitable.

SORS TES GRIFFES POUR TA PLANÈTE

GRRREENY EST UN UNIVERS
DE MIDAM

TEXTES ET ADAPTATION :
ARACELI CANCINO

MON HISTOIRE

C'était un jour comme les autres. Depuis quelques semaines, ma maman m'avait autorisé à explorer seul la forêt. Normal, j'avais déjà quelques mois, je n'étais plus un bébé !

Je me promenais paisiblement quand j'ai découvert un lac que je n'avais jamais vu avant. Chouette, un lac à moi tout seul ! En moins de 3 secondes, je faisais un méga plongeon !

J'adore l'eau! Là où je vis, en Inde, il fait très chaud et nous, les tigres, aimons nager pour nous rafraîchir. J'ai appris très vite à nager avec ma maman qui est une excellente nageuse. Mon père évite de nager avec elle car, même s'il ne veut pas l'avouer, elle est plus rapide que lui...

J'ai dû hérité des dons de nageuse de ma maman car je nage super bien!

Après ma baignade, je m'installais paisiblement prêt à siroter mon punch au coco, quand j'entendis des pas. C'était mon meilleur ami Chaka, le chacal. Il se promenait en compagnie de son papa. Chaka a quelques mois de moins que moi. Ses parents ne le laissent pas encore explorer la forêt tout seul.

C'est quand j'ai vu comment ils me fixaient, les yeux plus grands que des œufs d'autruche, que j'ai compris que quelque chose ne tournait pas rond...

En regardant mon reflet dans le lac, j'ai vite compris ce qui allait de travers. J'étais devenu vert !!! Mes parents et quelques voisins curieux arrivèrent sur les lieux, alertés par Chaka et son père. Ma mère était dans tous ses états.

Tous attendaient le verdict de Malloum, le vieux singe, le sage de la forêt. Et tous me trouvaient étrange, sauf Kamel, le caméléon pour qui j'étais devenu soudaine-ment très sympathique et qui me dit : Hé mon frère, j'te kiffe trop !

Cherchant à comprendre ce qui m'était arrivé et n'écoutant que son courage, Chaka s'approcha de l'eau. Mais Malloum le retint en regardant le lac avec méfiance. Le vieux singe s'approcha doucement de l'eau à son tour et il y trempa prudemment le bout de sa queue.

Quand il la retira, tout le monde comprit le nœud du problème. « L'eau du lac a été polluée, il faut interdire la baignade dans ce lac ! », déclara Malloum.

Nous avons organisé plusieurs groupes pour explorer les alentours du lac. Je suis parti avec Chaka, Malloum et Charles-Henri, l'ours le plus costaud que je connaisse. En explorant les environs, nous sommes vite tombés sur ce qui avait pollué le lac. J'avais nagé dans un lac radioactif ! « Encore un coup des industriels ! Il faut absolument nous débarrasser de ces fûts pour nettoyer le lac ! », s'écria Malloum.

Tous les animaux commencèrent à nettoyer le lac et on y interdit toute baignade jusqu'à ce que l'eau retrouve sa pureté. Cela allait prendre du temps. Et moi dans tout ça ? Moi, j'allais rester vert, tout comme le bout de la queue de Malloum d'ailleurs. J'étais une victime de la pollution ! Bien sûr, Kamel se réjouit de cette nouvelle, il avait enfin trouvé un pote de la même couleur que lui.

Rester vert toute ma vie ?!? Grrrrr ! J'étais vert de rage ! J'ai grogné dans mon coin pendant quelques jours. C'est d'ailleurs pour ça que mes parents m'appellent Grrreeny. C'est plus cool que "mon p'tit cœur" ou "mon chaton en sucre".

J'ai vite compris que grogner ne servait à rien. J'étais différent et je devais me servir de ma différence pour faire quelque chose d'utile !

J'ai donc décidé de créer mon propre club pour défendre la planète contre la pollution. Mes amis sont venus me prêter main forte et ensemble nous avons décidé de communiquer aux enfants du monde entier, les adultes de demain, des infos sur l'écologie et de les aider à réfléchir aux moyens de lutter contre la détérioration de la planète ! Alors... prêt à sortir tes griffes contre les pollueurs de ce monde ?

VERT UN JOUR... VERT TOUJOURS !

MA FAMILLE ET MOI

Voici ma famille. Bon, c'est une vieille photo car je n'étais pas encore devenu vert.

Depuis j'ai bien changé. Me voici aujourd'hui. Le seul tigre vert au monde !

MON PÈRE

Mon papa est un grand chasseur.

Il ne s'intéresse pas vraiment à l'écologie, car il dit qu'il est déjà bien occupé avec des problèmes de grands tigres.

Mais il fait tout de même des efforts, puisqu'il se limite maintenant à ne chasser que des trafiquants d'animaux et plus des touristes...

Comme la plupart des tigres en liberté, nous vivons en Inde dans les mangroves des Sundarbans.

Par chance, aucun membre de la famille n'a été capturé pour vivre dans un cirque ou dans un zoo. Mais il faut rester prudent, car les trafiquants d'animaux rôdent toujours.

En voici un que j'ai pris en photo avant que mon père ne l'attaque...

PHOTO

MA MÈRE

Ma maman a rencontré mon papa dans la jungle. Elle raconte souvent à quel point le rugissement de mon papa les avait impressionnées, elle et ses copines.

Depuis mon accident, elle s'intéresse à l'écologie et fait de petits gestes, comme acheter des produits de saison locaux.

Avec elle, c'est fini le ragoût de cervelle de trafiquant norvégien. Elle va toujours prendre de la cervelle de trafiquant indien.

TRAFIQUANT D'ANIMAUX

CHAKA

Voici mon meilleur pote, Chaka. C'est un chacal.

Il est très courageux et toujours partant pour m'accompagner, même si ses parents ne sont pas toujours d'accord !

Mais il sait qu'avec moi il n'a rien à craindre.

KAMEL

Lui, c'est mon copain le caméléon.

Il a été capturé étant petit par un trafiquant d'animaux et s'est retrouvé à Paris. Il parle donc avec des expressions comme « c'est qui la meuf ? », « j'te kiffe trop ! », « ça me branche grave » …

Il a fini par s'échapper et, après des mois, il a atterri dans les bagages d'une famille indienne qui revenait au pays. Depuis, il vit parmi nous, parle peu de Paris et a toujours gardé cet accent.

LILI

Lili, ma copine antilope, m'aide aussi dans ma lutte contre les pollueurs.

Ce qui est génial avec Lili, c'est qu'elle va toujours trouver un côté mignon à tout.

Elle est toujours très attentive aux autres et elle veille en permanence sur tout le monde.

C'est elle qui va mettre des fleurs pour décorer notre arbre ou qui va penser à apporter une tisane si quelqu'un a attrapé froid. Elle voit toujours le bon côté des choses.

MALLOUM

Malloum, c'est le plus vieux singe de la forêt. C'est également le plus sage de tous les animaux des environs.

Quand la situation est grave, c'est lui que nous allons voir. Il a toujours de bons conseils et il écoute tout le monde sans s'énerver.

Il lui arrive souvent de venir nous aider dans notre lutte pour sauver la planète.

HUBERT

Et voilà Hubert. Il est très spécial car il ne parle jamais.

On ne sait donc pas très bien ce qu'il est, mais on devine qu'il doit être une espèce de lézard.
Hubert est très discret car on le voit souvent caché quelque part, mais il n'intervient jamais, il nous observe.

D'ailleurs, tu peux t'amuser à le trouver caché dans des pages de ce carnet.
Tu le retrouveras 12 fois !

RENIFFLE

Lui, c'est Reniffle. Il n'aime pas se laver. Et depuis qu'il a appris qu'il fallait économiser l'eau sur la planète, il a trouvé la bonne excuse pour ne plus jamais se laver.

Il est sympa, mais il pue tellement que même Lili lui trouve de moins en moins d'excuses ...

M. WRONG

Celui-là, c'est l'ignoble, le dangereux, l'horrible M. Wrong. Homme d'affaires chinois, multimilliardaire et assoiffé de pouvoir, il n'a qu'un but dans la vie : devenir toujours plus riche.

L'écologie, ça ne l'intéresse pas ou, plutôt, il va s'y intéresser uniquement si ça lui rapporte de l'argent. Ce sinistre personnage se permet de donner de très mauvais conseils que j'ai décidé de mettre dans mon carnet pour faire comprendre ce qu'il ne faut surtout pas faire ! Un conseil : évite d'écouter M. Wrong !

CHARLES-HENRI

Gros ours au cœur tendre, Charles-Henri est l'animal le plus costaud que je connaisse.

Mais bien que sa force en impressionne plus d'un, Charles-Henri n'a pas la grosse tête. Il est plutôt timide et très gourmand. Sa gourmandise l'a d'ailleurs poussé à ouvrir une boucherie qu'il approvisionne régulièrement en trafiquants d'animaux.

Il est sensible à la démarche écologique et a même pris certaines initiatives en vendant des produits locaux.

À LA DÉCOUVERTE DE MON CARNET

Maintenant que les présentations
sont faites, voici les cinq
grands sujets que nous
allons aborder :

L'EAU

LES ÉNERGIES

LA BIODIVERSITÉ

LA FORÊT

LA POLLUTION

Lili, Malloum, Chaka, Kamel et Reniffle
seront tes guides au fil des chapitres.

Les mots-clés éclairés !

Tu verras que certains mots-clés sont ILLUMINÉS par Lucy, la luciole.
Tu trouveras les définitions de ces mots dans la section
Le Dico de l'écolo éclairé à la fin de mon carnet.

LA BIODIVERSITÉ

On n'arrête pas d'entendre parler de biodiversité. On dit qu'elle est en danger, que des animaux et des plantes sont menacés !

En tout cas, de mon point de vue, tout ne doit pas tourner très rond.

Ou alors, il faut que quelqu'un m'explique comment un bébé tigre comme moi se retrouve du jour au lendemain vert !

J'ai donc demandé à Chaka de mener sa petite enquête...

LA BIODIVERSITÉ

Petite enquête !?! Je ne suis peut-être pas bien grand, mais j'ai fait une grande enquête !

Voyons d'abord ce qu'est la biodiversité, un mot que l'on entend souvent, mais que l'on n'explique pas toujours.

C'EST QUOI LA BIODIVERSITÉ ?

La biodiversité est un mot qui a été adopté au début des années 90 et qui signifie « diversité de la vie ». Donc, quand on parle de biodiversité, on fait référence à tous les organismes vivants sur notre planète.

Les scientifiques ont établi différentes classifications du monde vivant. Les organismes vivants sont ainsi répartis en six règnes* formant trois domaines** selon la classification PHYLOGÉNÉTIQUE :

1 Le règne des bactéries

Organismes vivants ayant une seule cellule (unicellulaire) sans noyau. Les bactéries mesurent quelques micromètres. Elles sont très utiles à l'homme mais peuvent aussi provoquer des maladies.

3 Les eucaryotes

Organismes qui sont divisés en 4 grands règnes : les animaux, les champignons, les végétaux et les protistes.

2 Le règne des archées

Organismes unicellulaires sans noyau. Les archées sont différentes des bactéries entre autres par la façon de dépenser leur énergie (métabolisme) et elles ne provoquent pas de maladies.

Le règne des protistes

Micro-organismes qui ont une ou des cellules possédant un noyau. On y retrouve les animaux unicellulaires, les protophytes et les protistes fongiformes.

*Woese, 1977. ** Woese, 1990.

Le règne des champignons

Longtemps considérés comme des plantes, les champignons forment un groupe à part de par leur fonctionnement. Il y a des milliers d'espèces dont celles que l'on peut manger.

Le règne végétal

Ensemble de plantes terrestres et d'algues. Les végétaux réalisent la photosynthèse. Ils sont essentiels pour l'oxygène sur Terre.

Source : ITIS.

Le règne animal

Ensemble des espèces ayant plusieurs cellules (pluricellulaires), qui se déplacent et qui se nourrissent d'animaux ou de plantes. On y trouve les insectes, les mammifères, les êtres humains, les mollusques, les crustacés, les poissons, les oiseaux, les reptiles et les tigres !

LA BIODIVERSITÉ EST-ELLE MENACÉE ?

Malheureusement, oui. Depuis que le monde existe, des espèces naissent et d'autres disparaissent. Ce qui est tout à fait normal. Ce qui est moins normal, c'est que l'on voit aujourd'hui de plus en plus d'espèces menacées ou qui ont complètement disparu à cause de l'homme.

L'UICN* a établi une liste montrant le niveau de danger d'extinction de nombreuses espèces. Les experts qui travaillent sur cette liste étudient pour chaque espèce :

- 🐾 la taille de sa population
- 🐾 la disparition de son HABITAT naturel
- 🐾 le nombre d'adultes dans chaque population

*Union Internationale pour la Conservation de la Nature.

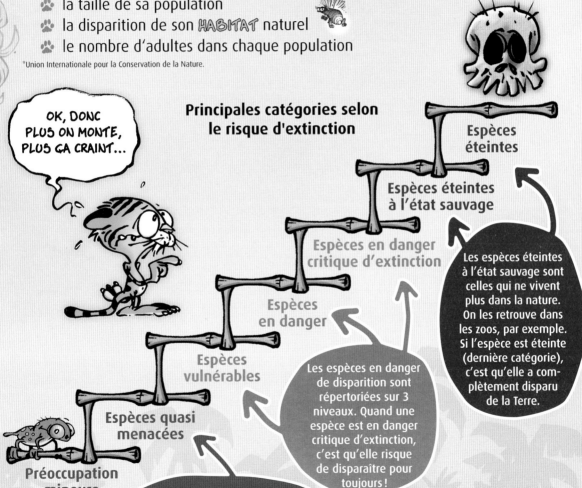

OK, DONC PLUS ON MONTE, PLUS ÇA CRAINT...

Principales catégories selon le risque d'extinction

Espèces éteintes

Espèces éteintes à l'état sauvage

Espèces en danger critique d'extinction

Espèces en danger

Espèces vulnérables

Espèces quasi menacées

Préoccupation mineure

Les espèces éteintes à l'état sauvage sont celles qui ne vivent plus dans la nature. On les retrouve dans les zoos, par exemple. Si l'espèce est éteinte (dernière catégorie), c'est qu'elle a complètement disparu de la Terre.

Les espèces en danger de disparition sont répertoriées sur 3 niveaux. Quand une espèce est en danger critique d'extinction, c'est qu'elle risque de disparaître pour toujours !

Dans ces 2 catégories, le danger est moins grand, mais il faut quand même être vigilant.

19

LES PRINCIPALES MENACES SUR LA BIODIVERSITÉ

1 L'agriculture, l'élevage et la pêche intensifs

Le style de vie de certains pays fait que l'on veut toujours produire plus et avoir tout en abondance. Ce mode de vie pousse parfois à des excès dans l'agriculture et l'élevage, comme à raser des forêts pour laisser la place à l'agriculture et à l'élevage intensifs. Le problème, c'est qu'en rasant les forêts, on met la nature en péril et des espèces qui y vivent sont menacées. Et c'est pareil pour la pêche intensive.

POUR RÉDUIRE LA CHASSE, IL FAUT D'ABORD RÉDUIRE LES CHASSEURS ...

ET SI ON FAISAIT DES TÊTES RÉDUITES POUR FAIRE DE LA PLACE ?

2 La chasse irresponsable

On chasse les animaux pour différentes raisons : la nourriture, la fabrication d'objets, le commerce des animaux de compagnie. Mais ce qui est encore plus grave, c'est lorsque cette chasse concerne des espèces menacées. Là, il y a danger de faire disparaître des espèces pour toujours.

3 Le réchauffement climatique

Le climat sur Terre varie de manière cyclique, mais ces variations sont extrêmement lentes. Pourtant, aujourd'hui, on parle sans arrêt de réchauffement climatique en tirant la sonnette d'alarme. Pourquoi ? Des études scientifiques montrent que la température moyenne augmente de façon anormalement rapide et qu'il est très probable que les changements climatiques soient dus aux activités humaines[*]. Ce réchauffement oblige par exemple certaines espèces à se déplacer pour survivre et cela bouleverse les équilibres en place.

[*]Rapport d'évaluation du GIEC « Climate change 2007 ».

Parfois, l'homme fait son malin et introduit de nouvelles espèces là où elles ne devraient pas se trouver.

4 L'intervention de l'homme dans la nature

Or, chaque espèce joue un rôle dans l'équilibre de la nature. En intervenant sur la nature, l'homme met bien souvent en danger cet équilibre.

Par exemple, dans les années 60, des *King Crabs* ont été introduits en Mer de Barents où ils n'ont pas trouvé de PRÉDATEURS. Résultat : ils sont maintenant très nombreux et l'équilibre qui existait entre les espèces est rompu.

5 La pollution

Les activités humaines produisent des déchets qui peuvent salir la terre, l'eau et l'air, et nuire aux espèces qui y vivent.

Heureusement, on commence à prendre conscience de la richesse que représente notre biodiversité, et de nombreuses initiatives ont déjà permis de sauver des espèces et de limiter les dégâts.

Un exemple ?
Tout le travail d'organismes comme BirdLife International ou le WWF qui nous tiennent informés et développent des tas de projets pour aider à préserver la nature.

QUELQUES INFOS

SUS AUX TRAFIQUANTS D'ANIMAUX !

Reptiles, MAMMIFÈRES, poissons et oiseaux sont vendus clandestinement, victimes d'un trafic strictement interdit.

Leurs conditions de transport sont épouvantables et peu survivent au voyage. **Un animal sur cinq meurt avant d'arriver à destination !**

À qui la faute ?

Les trafiquants sont responsables, car ils chassent et revendent les animaux de manière frauduleuse. Mais si personne ne les achetait, les trafiquants ne pourraient pas vendre les animaux capturés.

Des millions d'animaux sont victimes du commerce illégal dans le monde !

Les trafiquants sont responsables, mais sans acheteurs, il n'y aurait pas de trafic.

Les premiers responsables sont donc les acheteurs !

Ce sont des particuliers voulant avoir un animal rare, de riches collectionneurs ayant leur propre zoo, l'industrie de la médecine asiatique qui utilise les animaux protégés pour fabriquer des potions aux vertus soi-disant guérisseuses, les amateurs de matières précieuses comme la fourrure, les vendeurs de souvenirs de vacances comme les peaux de reptiles ou l'ivoire des éléphants.

> BON, ÇA SUFFIT. MAINTENANT, LAISSE MONSIEUR TRANQUILLE.

KSSSS

BIODIVERSIFIANTES

LES BONS CONSEILS DE M. WRONG

Souvenirs de vacances

Lors de tes prochaines vacances, n'oublie pas de frimer en achetant un souvenir très rare. Comme une belle peau de tigre pour décorer ton intérieur. Moi, j'ai la plus grande collection de peaux de tigre au monde ! Et je paie très cher des braconniers pour les avoir. Quoi ? Les tigres sont une espèce menacée ? Mais il y a encore tant d'animaux à chasser !

L'ANGUILLE SUR LISTE ROUGE

Depuis 10 ans, l'anguille est sur la liste rouge des animaux menacés de disparition et la situation s'aggrave. Comme le saumon, l'anguille parcourt en migration plusieurs milliers de kilomètres.

Un périple au cours duquel la pollution et les embûches semées par l'homme (*SURPÊCHE*, barrages,...) font disparaître les anguilles.

Un autre danger guette cette espèce. Le bébé-anguille, appelé civelle, est très prisé dans la gastronomie européenne et asiatique où il se vend à près de 1.000 euros le kilo. Un mets raffiné et cher, mais qui nuit à la reproduction et donc à la survie de l'espèce.

EN VOIE D'EXTINCTION ?!
AH, BEN, ÉCOUTE, JE PEUX BIEN T'EN PRÊTER UNE, MAIS...

LILI, JE NE PARLE PAS DES AIGUILLES, MAIS DES ANGUILLES !

LE VAUTOUR, ÉBOUEUR BÉNÉVOLE

Comme les gens, il ne faut pas juger trop vite les oiseaux sur leur seule apparence. Pas beaux les vautours ?

Qu'importe, l'essentiel est ailleurs. Ils pratiquent en effet un métier bien intéressant et très utile : ramasser les ordures. Les ordures naturelles, pas tous les déchets quand même !

Là où ne passe aucun camion d'éboueur et où n'existe aucune poubelle, c'est vachement pratique.

Évidemment, ils dépendent d'un prédateur pour capturer et tuer d'abord l'animal convoité. Il leur faut donc être patients et bien organisés. Mais on n'a rien sans mal.

Une petite troupe de vautours normalement constitués élimine une brebis morte en un quart d'heure : peau, viscères, restes de chair et même quelques os, tout y passe.

LE OUISTITI MIGNON

Si tout le monde connaît l'imposant gorille et ses 200 kilogrammes, un peu plus pour les plus gros mâles, qui connaît son plus petit cousin, le ouistiti pygmée et ses 120 à 130 grammes ? Le plus petit PRIMATE ? Pas tout à fait. Mais le plus petit singe, oui, car les tarsiers d'Asie du Sud-Est, qui sont des primates mais pas des singes*, sont encore un peu plus légers.

Ce petit singe aux formes arrondies habite les forêts amazoniennes entre le Pérou, le Brésil et l'Équateur. Il se nourrit surtout de la sève et des exsudats** de gomme des arbres qu'il obtient en creusant de petits puits avec ses dents.

* Type spécifique de mammifères primates.
** Écoulements, suintements.

FLINGUÉE POUR UN CURE-PIPE ?!

LAMENTABLE !

LE BOUSIER ET SA MAISON AU CACA

Le bousier est un insecte qui utilise la matière fécale comme nourriture (tous les goûts sont dans la nature !) ou comme matériau de construction.

Ce coléoptère a pris l'excellente initiative de recycler les excréments, empêchant ceux-ci d'être livrés aux mouches et autres parasites qui propageraient une infection.

Lui et ses frères protègent, par exemple, les ruminants qui partagent leur habitat... À première vue, on a l'impression que ces insectes sont très cochons, alors qu'en réalité, ils garantissent l'hygiène des sols. Y a pas plus propre qu'un bousier !

KID PADDLE DONNE SON NOM À UN INSECTE

On découvre de nouvelles espèces tous les jours. *Hypocaccus kidpaddlei*, c'est le nom que l'entomologiste Yves Gomy a donné à l'une de ses dernières découvertes, en l'honneur du célèbre héros de BD : Kid Paddle !

Cet insecte vit en Tanzanie. Sa famille affectionne les excréments et les cadavres d'animaux, les champignons, les cavernes, les nids et autres milieux végétaux en décomposition. Kid Paddle l'a tout de suite adopté !

Pourquoi *Hypocaccus kidpaddlei* et non pas *Kid Paddle* ?

Le nom scientifique d'un organisme vivant doit être précis afin de pouvoir le classer. Il se compose de 2 noms : le GENRE et l'espèce. C'est sur l'espèce que le chercheur peut jouer. Ici, nous avons un insecte qui appartient au genre *Hypocaccus* et à l'espèce « Kid Paddle » ! Quand on dédie une espèce nouvelle à une personne, on ajoute un « i » au nom, ce qui se traduit par l'*Hypocaccus* de Kid Paddle. Si on voulait rendre hommage à Grrreeny, l'insecte s'appellerait *Hypocaccus grrreenyi*.

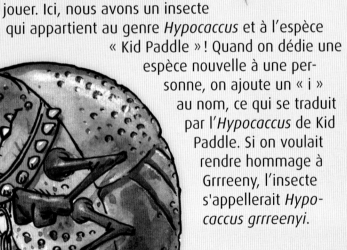

MANGEOIRE POUR OISEAUX

Matériel : 1 bouteille d'eau en plastique, 1 paire de ciseaux, du ruban adhésif extra-large, 1 brochette en bois, de la ficelle, des feuilles d'arbre, des graines pour oiseaux du jardin.

1 Découpe la bouteille en trois. Veille à ce que la partie supérieure soit plus grande et découpes-y une porte de chaque côté.

2 Emboîte le fond de la bouteille dans la partie supérieure et assemble ces 2 parties avec un large ruban adhésif.

3 Juste en-dessous des portes d'entrée, perce prudemment un trou avec la pointe des ciseaux.

4 Coupe l'extrémité pointue de la brochette en bois. Glisse la brochette dans les 2 trous pour traverser la bouteille.

5 Attache solidement avec la ficelle les feuilles d'arbre par leur queue au goulot de la bouteille et fais une petite boucle pour pouvoir accrocher la mangeoire à un arbre.

Il reste juste à répartir les feuilles pour le toit et à remplir le fond de graines. À table, les oiseaux !

LES ÉNERGIES

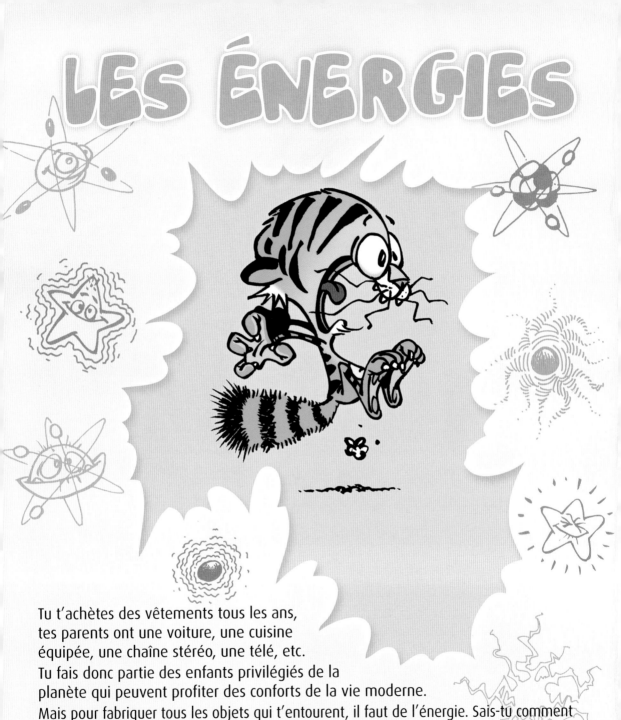

Tu t'achètes des vêtements tous les ans,
tes parents ont une voiture, une cuisine
équipée, une chaîne stéréo, une télé, etc.
Tu fais donc partie des enfants privilégiés de la
planète qui peuvent profiter des conforts de la vie moderne.
Mais pour fabriquer tous les objets qui t'entourent, il faut de l'énergie. Sais-tu comment
on produit cette énergie et quelles en sont les conséquences pour l'environnement ?
Kamel s'est chargé de nous apporter quelques réponses.

LES DIFFÉRENTS

Grrreeny, mon frère, j'hallucine ! Il y a plein de types d'énergies. C'est trop mortel ! Seulement, toutes ont leurs bons côtés, mais aussi des trucs pas cool...

LES ÉNERGIES FOSSILES

Des animaux et plantes qui ont peuplé la Terre il y a des millions d'années sont devenus des fossiles, c'est-à-dire des restes ou des empreintes enfouis dans la roche. Une grande quantité de matière organique s'est accumulée dans le sous-sol et, en se transformant, a donné du pétrole, du charbon et du gaz naturel.

 Avant  Après

Mais 2 gros problèmes apparaissent au fil du temps

1 – Les énergies fossiles vont finir par s'épuiser

Les spécialistes ne s'entendent pas toujours sur l'échéance, mais une chose est sûre, un jour, ces énergies fossiles auront disparu. La première à disparaître sera le pétrole qui, selon certains experts, sera épuisé d'ici quelques années seulement.

2 – Les énergies fossiles polluent

Donc, même si elles étaient disponibles pour toujours, elles représentent un danger pour la planète.

PROBLÈMES
- 1 -
ÉPUISEMENT
- 2 -
POLLUTION

TYPES D'ÉNERGIES

L'ÉNERGIE NUCLÉAIRE

On connaît d'abord le nucléaire par les bombes atomiques. Mais le nucléaire peut aussi servir à autre chose qu'à faire la guerre. Le nucléaire est une source importante d'énergie !

Les atomes d'uranium créent de la chaleur.

La chaleur fait bouillir l'eau. On obtient ainsi de la vapeur qui, elle, fait tourner une turbine.

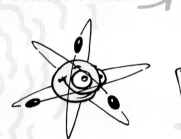

Enfin, la turbine fait fonctionner un alternateur qui produit de l'électricité. Les nuages blancs qui sortent des centrales sont bien de la vapeur et non de la fumée.

Est-ce la solution ?
Tous ne sont pas d'accord !

Les partisans

🐾 Grâce au nucléaire, on peut produire de l'électricité sans les énergies fossiles.

🐾 Le nucléaire ne pollue pas l'air.

Les opposants

🐾 Il y a des risques d'accidents avec des dégâts écologiques considérables. La plus grave catastrophe de ce type a eu lieu à Tchernobyl (Ukraine) en 1986. Pas joli à voir !

🐾 Le nucléaire produit des déchets radioactifs qu'il faut bien stocker quelque part. On peut seulement traiter 4%[*] de ces déchets. Le reste est mis de côté en attendant que l'on trouve une solution.

🐾 L'énergie nucléaire provient de l'uranium, un métal qui s'épuisera aussi un jour.

*Source : Greenpeace.

DES AMIS AU-DELÀ DE LA CENTRALE ? VOUS RIGOLEZ, CES GENS-LÀ NE SONT PAS COMME NOUS !

L'ÉNERGIE ÉOLIENNE

Le vent peut, lui aussi, fournir de l'énergie, en entraînant les pales (les ailettes) d'éoliennes. Mais il ne souffle pas toujours, ni partout avec la même vigueur. L'éolienne a alors besoin d'un système d'appoint ou de moyens de stockage pour compenser et n'est donc pas 100 % propre.

Ceux qui vivent à proximité lui reprochent aussi de gâcher le paysage et d'être bruyante. C'est pourquoi de plus en plus de pays cherchent à installer également des parcs éoliens offshore, c'est-à-dire au large des côtes.

Pour faire rouler des véhicules, on utilise un carburant naturel.

LES BIOCARBURANTS

Une première génération de biocarburants a été faite à partir de sucre de betterave, de canne à sucre ou d'amidon de blé. L'ennui, c'est que ça nécessite plein d'énergie, des engrais et des pesticides. En plus, cultiver des terres pour du carburant quand certains peuples ont des problèmes de famine, c'est pas cool !

Une deuxième génération utilise des matériaux naturels comme la cellulose du bois, de la paille, des plantes ou de la graisse animale. Comme ce ne sont pas des aliments, c'est déjà mieux.

Enfin, une troisième génération se développe en utilisant des micro-algues. Comme il y a beaucoup de micro-algues dans la mer et que personne ne les mange, c'est une piste très prometteuse.

Les biocarburants sont donc une bonne piste, mais ils sont encore à l'étude.

L'ÉNERGIE HYDRAULIQUE

Grâce à la force des cours d'eau, on arrive à faire de l'électricité ! L'avantage est que tant qu'il y aura des cours d'eau, on pourra produire de l'électricité.

Le problème est que pour produire ce type d'énergie, il faut construire des barrages dans la nature.

Ces barrages causent des dégâts dans les forêts et parfois aussi dans les cours d'eau eux-mêmes, en bloquant le parcours des poissons qui, du coup, ne peuvent plus aller se reproduire.

ZUT, LE BARRAGE EST TOUJOURS LÀ ! JE SERAI ENCORE CÉLIBATAIRE CETTE ANNÉE.

SANS BLAGUE.

L'ÉNERGIE SOLAIRE

Il existe plusieurs manières de produire de l'énergie grâce au soleil. Deux techniques sont régulièrement utilisées sur le toit des habitations. Soit on pose des panneaux photovoltaïques pour convertir la lumière du soleil en électricité, selon le même procédé que les calculatrices solaires, soit on emploie des capteurs thermiques pour transformer cette lumière en chaleur. Aujourd'hui, on peut même chauffer des maisons ou l'eau pour prendre une douche par le solaire. On construit aussi des centrales solaires pour générer de l'électricité à plus grande échelle.

Les inconvénients ?

Comme l'ensoleillement est variable, surtout selon les saisons et l'emplacement géographique, la production d'énergie solaire fluctue elle aussi. Sans parler du stockage qui est plutôt difficile et cher.

QUELQUES INFOS

LE MARIAGE DU NUCLÉAIRE ET DES ÉNERGIES RENOUVELABLES ?

Les réserves d'énergies fossiles s'épuisent et tous ne voient pas d'un bon œil l'énergie nucléaire.

Certains pays ont choisi de ne pas utiliser le nucléaire.
D'autres, par contre, veulent le développer.

Le nucléaire est la solution la plus simple et la moins chère pour avoir de l'énergie dans le futur, mais elle pose certains problèmes comme le risque d'accident, le manque d'uranium un jour et les déchets radioactifs.

Les *ÉNERGIES RENOUVELABLES* (comme l'énergie solaire) apportent des solutions, mais elles ne sont pas encore suffisamment développées pour remplacer complètement les énergies fossiles. Aussi, de nombreux spécialistes pensent que, dans l'immédiat, la meilleure solution serait un « mariage » entre le nucléaire et les énergies renouvelables. **Autrement dit, il faudrait utiliser le nucléaire mais aussi les énergies renouvelables.**

ÉNERGÉTIQUES

LES CAMPAGNOLS DE TCHERNOBYL

L'explosion de la centrale nucléaire de Tchernobyl en avril 1986, en Ukraine, a libéré beaucoup de radioactivité. Les contaminations aux alentours sont fortes et durables. Comment s'en rendre compte sans prendre de risque? En regardant la petite faune qui habite des terrains touchés par les rayonnements.

Ils vivent moins longtemps et font plus de bébés!

CE SONT NOS NOUVEAUX VOISINS. ILS VIENNENT D'UKRAINE...

BONJOUR KAMARAD!

Les campagnols se reproduisent très jeunes. Ils peuvent avoir une portée toutes les 3 semaines et ont pas mal de petits à chaque fois. En les observant d'un peu plus près, on constate que ceux de Tchernobyl vivent moins longtemps que les campagnols vivant ailleurs, mais qu'ils compensent leur plus courte durée de vie par une activité sexuelle encore plus précoce et plus intense. S'y ajoutent des mutations génétiques dont les conséquences sont encore à venir.
À suivre...

DES BUS QUI ROULENT AU CACA

ET AVEC UN PLEIN, JE VOUS OFFRE LE DÉSODORISANT ! CE MOIS-CI : DIARRHÉE FRUITS DES BOIS !

La ville d'Oslo, en Norvège, a pris la décision de faire rouler ses bus au biométhane. Il s'agit d'un gaz produit par la décomposition des excréments.

Ce projet prévoit de mettre en circulation 80 bus. Si les résultats sont bons, le programme devrait être étendu aux 400 bus de la ville.

Le carburant sera fourni par les 2 stations d'épuration d'eau de la ville qui recueillent tout ce que les WC rejettent. Un réservoir sera installé sur le toit des bus.

LE CAFARD RÉSISTANT AU NUCLÉAIRE !

Une guerre nucléaire généralisée détruirait toute forme de vie sur Terre, les radiations mortelles ne laissant aucune chance aux plus tenaces, excepté... les cafards !

Hé oui, ces blattoptères (on peut aussi les appeler « blattes ») sont ultra-résistants ! De plus, ils peuvent rester un mois sans manger ni boire...

Tu veux les noyer ? Les blattes peuvent retenir leur respiration pendant 45 minutes ! Si elles sont décapitées, elles vivront encore une semaine ! (Les invertébrés n'ont pas un système nerveux centralisé dans un cerveau).

Bref, si les choses tournent mal sur notre planète, tu sais maintenant qui seront nos successeurs !

LES LUCIOLES, PAS BESOIN DE PILES, ELLES...

Pas besoin de pile alcaline pour alimenter le phare de ce petit coléoptère appelé communément « ver luisant ».

La lumière froide qu'il produit est due à une réaction chimique compliquée contrôlée par l'insecte, la bioluminescence.

Si tu vois une luciole, un jour, c'est que tu es dans un endroit particulièrement « nature », puisqu'on n'en rencontre que dans des lieux préservés de la ville et de l'agriculture non bio. Elles sont devenues, malgré elles, des bio-indicateurs.

LA PETITE LUMIÈRE ROUGE...

Est-ce que tu fais bien d'éteindre la télé avec la télécommande quand tu quittes la pièce ? Oui, évidemment. Mais tu pourrais faire encore mieux en éteignant directement l'appareil sans te servir de la télécommande.

En utilisant la télécommande pour éteindre les appareils comme la télévision ou le lecteur DVD, tu ne les éteins pas vraiment.

La petite lumière rouge ou verte indique que l'appareil est toujours sous tension et qu'il continue à consommer de l'énergie. Il faut donc éteindre aussi la petite lumière rouge !

EUH... C'EST À PROPOS DE VOTRE PETITE LUMIÈRE ROUGE...

I'LL BE BACK ...

Bien sûr, il faut relativiser, et ce n'est pas en éteignant ces veilleuses que tu vas sauver la planète ou épargner beaucoup d'argent. En coupant les veilleuses de tous les appareils électriques dans ta maison, tu économiseras un peu sur ta consommation électrique. Tu ne vas pas sauver le monde, mais tu allégeras la facture d'électricité. C'est déjà ça, non ?

LES ÉOLIENNES, DES HACHOIRS À OISEAUX ?

Est-ce que les oiseaux risquent de se faire tailler en rondelles par les pales des éoliennes qui tournent avec le vent ? Des études disent que le risque est faible.

Les oiseaux ont une très bonne vue et ils modifient leur trajectoire à temps pour éviter un obstacle. Les lignes à haute tension et la circulation routière sont beaucoup plus nuisibles pour eux. Il faut juste ne pas mettre des éoliennes dans un couloir de migration ou près de sites de reproduction. Mais les installations éoliennes tiennent compte de ces paramètres.

FABRIQUE UN FOUR SOLAIRE !

Matériel : *une boîte à pizza vide, du papier aluminium, du film plastique alimentaire, un tube de colle non toxique, une règle ou un bâtonnet de bois, du papier de bricolage noir, du ruban adhésif, des ciseaux.*

1 Trace un carré sur le dessus de la boîte à pizza à environ 2 cm ½ des bords. Découpe-le, sauf du côté de la charnière de la boîte. Tu obtiens ainsi un couvercle avec un rabat.

2 Découpe du papier aluminium et colle-le sur la face interne du rabat.

Lisse-le bien pour éviter la formation de plis.

3 Découpe du film alimentaire un peu plus grand que le papier alu et fixe-le avec du ruban adhésif sous le couvercle.

4 Tapisse le fond et les parois de la boîte avec du papier alu et colle-le.

5 Recouvre le fond de la boîte de papier noir épais.

6 Dirige le rabat avec la règle vers le soleil et vérifie sa position par rapport aux rayons.
Préchauffe ainsi ton four 30 min. Mets un aliment à cuire, comme une guimauve. Mais pas de la viande.

Par rapport à un four traditionnel, la cuisson prendra le double de temps.

LA POLLUTION

Aujourd'hui, on entend tout le temps parler de pollution. Mais c'est quoi vraiment "polluer"? Et quels sont les différents types de pollution?

De quelle manière la pollution affecte-t-elle la vie des espèces sur Terre?

Tentons de voir plus clair là-dedans avec Reniffle...

C'EST QUOI

C'est simple, Grrreeny : nous polluons quand nous salissons notre environnement. L'eau, à la base, est pure. Si tu jettes des déchets dans l'eau, tu la pollues, elle devient sale et tu ne peux plus la boire sans tomber malade. C'est pareil pour l'air et le sol.

LA POLLUTION DE L'AIR

On pollue l'air quand on libère des gaz et des particules toxiques qui le rendent impur. Les véhicules à moteur, les usines, les installations de chauffage, etc. polluent notre air au quotidien (SOURCES ANTHROPIQUES). La pollution de l'air peut aussi provenir de sources naturelles comme quand un volcan entre en éruption ou quand on fait des prouts ! Les gaz à effet de serre ainsi émis font partie de cette pollution.

Le gaz à effet de serre, c'est quoi ?

L'air contient des **gaz à effet de serre** (GES) et grâce à eux, l'atmosphère retient une partie de la chaleur que la Terre dégage. C'est donc bien d'avoir ces gaz qui nous permettent d'avoir plus chaud. Le problème, c'est que si ces gaz augmentent trop, il commence à faire de plus en plus chaud sur la planète. C'est pour ça que la majorité des scienfiques disent que le climat se dérègle très probablement à cause de l'homme.

Combien de temps prennent nos différents déchets pour disparaître ?

 Pelures de pomme	Papier	Chaussette en laine	Chewing-gum	Filtre de cigarette	Chaussures en cuir
1 mois	2 à 5 mois	1 à 5 ans	5 ans	10 à 12 ans	25 à 40 ans

LA POLLUTION ?

LA POLLUTION DES SOLS

Comme l'air, le sol aussi peut être sali. Les coupables ?

1 – L'AGRICULTURE

On met des engrais et des produits chimiques dans le sol pour produire davantage et plus vite. Mais c'est dangereux pour la planète et pour notre santé.

2 – L'INDUSTRIE

Quand on fabrique des choses, on produit aussi des déchets. Les usines jettent énormément de déchets qui nuisent à l'environnement.

3 – UN PEU TOUT LE MONDE

Nos poubelles sont remplies d'une multitude de détritus en tout genre. D'où l'importance de récupérer, RECYCLER et de ne pas gaspiller.

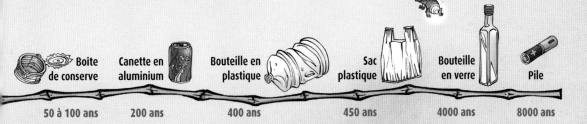

Boîte de conserve	Canette en aluminium	Bouteille en plastique	Sac plastique	Bouteille en verre	Pile
50 à 100 ans	200 ans	400 ans	450 ans	4000 ans	8000 ans

LA POLLUTION DE L'EAU

L'eau aussi est salie par nos activités. Mais d'où vient la pollution de l'eau ?

1 – Des déchets de l'agriculture et des eaux usées

On pollue l'eau en y jetant des déchets provenant de nos maisons, des hôpitaux, des élevages... L'eau qui s'écoule dans les rues entre en contact avec des tas de déchets qui la souillent. Tout ça va dans les égouts et finit bien souvent dans nos cours d'eau.

2 - Des déchets de l'industrie

Les centrales thermiques et nucléaires utilisent l'eau des cours d'eau pour refroidir leurs machines, puis elles renvoient cette eau dans la nature. L'eau revient sale et plus chaude, ce qui n'est pas bon pour les poissons et la végétation aquatique.

Une autre source de pollution vient des bateaux. Certains nettoient leurs cuves dans la mer au lieu de le faire dans les ports, pour économiser de l'argent. On appelle ça le DÉGAZAGE SAUVAGE.

Et que dire des accidents !

Le Prestige est le nom d'un célèbre bateau qui transportait du pétrole et qui a perdu 15.000 tonnes de fioul au large de l'Espagne en 2002. Oiseaux mazoutés, poissons morts et plages souillées sont les tristes souvenirs laissés par cette catastrophe.

Lors de tels accidents, le pétrole se répand dans la mer en grande quantité et forme une gigantesque MARÉE NOIRE.

QUELQUES INFOS

DU LAIT AU GAZ D'ÉCHAPPEMENT

Deux études françaises ont démontré que le gaz d'échappement des voitures équipées de pots catalytiques arrive jusque dans nos aliments.

Des substances nocives (palladium, platine, rhodium) venant de nos voitures se retrouvent dans l'herbe près des routes. Cette herbe est mangée par les vaches qui, ensuite, donnent du lait qui contient ces polluants à 80 %.

Donc, faire pâturer des vaches en bord de route est nocif pour la santé.

NEW
- PALLADIUM
- PLATINE
- RHODIUM

POLLUANTES

PLUS IL FAIT MAUVAIS, PLUS LES OISEAUX CHANTENT BIEN !

Selon une étude scientifique canadienne menée sur 29 espèces différentes d'oiseaux, un environnement peu commode et une météo changeante poussent les oiseaux à devenir de meilleurs chanteurs.

Des conditions de vie pénibles rendent les femelles moins faciles à séduire.

Or, les oiseaux mâles chantent d'abord pour plaire aux femelles et c'est le meilleur chanteur qui aura le plus de succès auprès de ces dames !

Donc, quand les femelles oiseaux deviennent plus difficiles à cause de la météo, les mâles sont obligés de chanter encore mieux pour les séduire.

INQUIÉTANT CE PROBLÈME DE PAPIER WC !

SI TOUT LE MONDE FAISAIT COMME MOI, LA PLANÈTE SERAIT PLUS BELLE !

JAMAIS UTILISÉ DE PAPIER WC, MOI !

DES MILLIERS D'ARBRES DANS LE WC

Chaque jour, 270 000 arbres sont utilisés comme papier WC et papier ménager.

Le papier toilette est l'un des pires périls qui menacent les forêts.

Et on peut se poser la question :

Vaut-il mieux choisir du papier WC de couleur ou blanc ?

Les avis sont partagés, mais le processus de blanchiment est celui qui nécessite la plus grande quantité de produits chimiques. L'option la plus écologique reste l'utilisation de papier WC recyclé.

LES VACHES POLLUENT PLUS QUE LES VOITURES !

En 2006, une étude des Nations Unies révélait que l'élevage produit plus de gaz à effet de serre que l'ensemble des transports sur la planète.

Les gaz (pets) des vaches, bovins et autres ruminants dégagent de grandes quantités de méthane, gaz qui a un pouvoir de réchauffement considérable.

Les ruminants émettent sur une année plus de gaz à effet de serre que les véhicules. C'est à se demander ce qu'on leur donne à manger...

CONSÉQUENCES DU RÉCHAUFFEMENT CLIMATIQUE

Selon la majorité des scientifiques, avec le réchauffement climatique, il risque d'y avoir plus d'inondations, de cyclones, de sécheresses. Tout ça affecte la nature dans de nombreuses parties du monde et la vie des personnes qui y habitent. La grande majorité des victimes du réchauffement climatique meurent de faim.

Autre problème : quand la température augmente, certaines maladies se propagent plus facilement. Bien entendu, comme les plus pauvres peuvent moins se protéger, se soigner ou reconstruire leur maison, ils sont les plus touchés.

*Rapport publié par le Forum humanitaire mondial.

LE PET ÉCOLO DU KANGOUROU

L'un des plus gros émetteurs de CO_2 de la planète, c'est l'élevage.

En Australie, les animaux de la ferme sont responsables de 67 %[*] des gaz à effet de serre du secteur agricole.
*Rapport Ross Garnaut.

ON AVAIT DIT GREFFE DES INTESTINS …

PAS DU CERVEAU !

AH BON ?

Face à ce problème, une équipe de scientifiques a pensé aux kangourous (ils habitent en Australie) pour limiter les effets du réchauffement climatique.

Selon ces experts, les pets des kangourous n'émettent que très peu de méthane grâce à une bactérie intestinale en eux.

La solution serait donc soit de remplacer les vaches par des kangourous, ce qui en termes de goût est assez proche, soit de mettre des intestins de kangourous dans des bovins (compliqué !), ou bien tu fais comme Grrreeny et tu deviens végétarien !

C'EST PAS PARCE QUE JE SUIS VERT QUE JE SUIS VÉGÉTARIEN, JE SUIS RESTÉ UN VRAI TIGRE !

> JE ME DEMANDE SI LES ANIMAUX QUI SE DÉPLACENT À 2 PATTES FONT MOINS CACA QUE CEUX QUI SE DÉPLACENT À 4 PATTES ?

LES DEUX ROUES POLLUENT PLUS QUE LES VOITURES

Un rapport de l'ADEME* a établi que, sur une même distance, les scooters (construits avant 2007, Norme Euro 2) de 125 cm³ ont rejeté dix fois plus de gaz polluants que les voitures ! Et les scooters de 50 cm³ pollueraient deux à trois fois plus que ceux de 125 cm³ !!!

*Agence de l'Environnement et de la Maîtrise de l'Énergie.

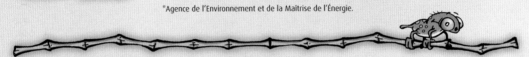

ESCOUADES DE LA MORT

La police scientifique analyse les animaux microscopiques qui envahissent les cadavres. Comme ces insectes arrivent par vagues successives, ils aident à dater le moment de la mort. Il y a 8 vagues successives, appelées escouades. La 1ʳᵉ escouade est constituée de mouches et arrive juste après la mort, voire... avant !

La 8ᵉ, des coléoptères, intervient après 3 ans et fait disparaître les restes. C'est comme pour nos déchets ménagers : on vient chercher les uns après les autres nos déchets en papier, en plastique et nos déchets de jardin. Mais les insectes ont inventé, bien avant nous, le tri sélectif !

On devrait les imiter plus souvent et plus rapidement, la planète y gagnerait !

> CAPITAINE DYPTÉRUS PIOPHILIDAE DE LA 4ᵉᵐᵉ ESCOUADE, NOUS VENONS PRENDRE LA RELÈVE !

> COMMANDANT COLÉOPTUS DERMESTIDAE DE LA 3ᵉᵐᵉ ESCOUADE, LA CARCASSE EST À VOUS CAPITAINE !
>
> BON APPÉTIT LES GARS !

COOL, LE RECYCLAGE !

MIDAM. ADAM-PATELIN 2.

EXPÉRIENCE SUR LE BIODÉGRADABLE

Matériel : *Une pierre, un crayon feutre, un trognon de pomme, des pelures d'orange, un insecte mort, une gomme, du coton, une petite pelle, un carnet de notes, un appareil photo.*

Choisis un coin de terre dans un jardin avec la permission de tes parents. Creuse 5 trous d'une profondeur de 5 à 10 cm et insères-y : le trognon de pomme, les pelures d'orange, l'insecte mort, la gomme et le coton.

Avant d'enterrer tes déchets, prends une photo individuelle de chaque déchet.

Pour retrouver l'endroit où tu as enterré tes « trésors », mets une pierre marquée d'un signe de ton choix. Retourne déterrer tes 5 déchets après une semaine, observe-les, puis remets-les à la même place. Après chaque visite, note tes observations dans ton carnet. Tu verras au fil du temps que certaines choses disparaissent bien plus vite que d'autres !

Quand tu auras fait assez d'observations, n'oublie pas de récupérer ta gomme, car elle prendra beaucoup trop de temps à disparaître. Lave-la bien et tu pourras ainsi la réutiliser.

L'EAU

L'eau est présente partout dans notre vie. Sans eau, on ne pourrait pas vivre plus de quelques jours ! Ton corps est constitué à 65 % d'eau. Pas étonnant d'entendre dire qu'il faut boire 1 litre et demi d'eau par jour.

Plantes, arbres, animaux, tous ont besoin d'eau pour vivre. Et que dire des poissons ! Bref, l'eau est essentielle, mais il ne faut pas la gaspiller ni la salir car on risque d'en manquer un jour.

Malloum a d'ailleurs mené son enquête au sujet de l'eau et de nos fonds marins.

L'EAU, SOURCE

L'eau représente environ 70 % de la surface de la Terre. Océans, fleuves, lacs, rivières fourmillent de vie et l'accès à l'eau est indispensable à notre survie. Mais il faut faire attention à l'usage que nous en faisons, car l'eau peut s'épuiser et les espèces qui vivent dans l'eau peuvent aussi faire face à des menaces...

LA SURPÊCHE

On parle de surpêche quand on pêche trop certains poissons ou espèces qui vivent dans l'eau, comme les mollusques et les crustacés. Parfois, on pêche tellement certaines espèces qu'elles finissent par disparaître, ce qui déséquilibre la vie dans nos lacs et océans.

Pourquoi pratique-t-on la surpêche ?

D'abord, on a longtemps cru que les océans étaient inépuisables. Aujourd'hui, on sait que ce n'est pas vrai, mais on continue à pratiquer la surpêche car :

- 🐾 des bateaux toujours plus sophistiqués permettent de prendre de plus en plus de poissons et on ne s'en prive pas ;

- 🐾 certaines personnes veulent continuer à manger des espèces aquatiques, même si elles sont menacées. C'est le cas dans les pays asiatiques et en particulier au Japon, pays dont les gouvernements tolèrent la surpêche.

JE MILITE EN FAVEUR DU POISSON!

DE VIE

CROIS-MOI ROBERT, LE SEUL ENDROIT VRAIMENT SÛR POUR VIVRE, C'EST UN AQUARIUM.

Qu'est-ce que des PRISES ACCESSOIRES ?

C'est quand les navires pêchent certains poissons et attrapent aussi d'autres espèces mais sans le faire exprès. Comme ils ne veulent pas tout ce qui est capturé, ils rejettent ce qui est en trop à la mer. Souvent, les espèces capturées sont déjà mortes.

Des milliers de poissons, mais aussi des dauphins, tortues, oiseaux de mer, requins et coraux meurent en tant que prises accessoires.

Source : WWF.

Cherche le label MSC !!!

Quand tu vois le label MSC « Marine Stewardship Council » sur un produit de la mer, c'est que ce produit a été pêché de manière responsable, sans détériorer la nature et les différentes espèces aquatiques.

PÊCHE DURABLE MSC
www.msc.org/fr

JE NE SUIS PAS SÛR QUE CE SOIT LE MEILLEUR MOYEN...

COOL !

L'EAU, ENJEU DE DEMAIN

Sur Terre, 97 % de l'eau est salée et 2 % est présente sous forme de glace.

L'eau douce, utilisée pour boire, se laver et cultiver, ne représente que 1 % de l'eau sur notre planète.

La consommation d'eau douce dans le monde est répartie dans ces proportions :

10 % usage domestique

20 % usage industriel

70 % usage agricole

Pourquoi tout le monde n'a-t-il pas accès à l'eau facilement ?

1 L'eau n'est pas disponible de manière égale dans le monde. Neuf pays possèdent 60% de l'eau.

2 L'eau est plus ou moins abondante selon qu'il pleuve ou pas et sa quantité varie d'une année à l'autre.

3 La nature participe à assurer une meilleure qualité de l'eau, mais ce n'est plus suffisant à cause de la pollution. Résultat : l'eau doit être traitée avant de pouvoir être bue.

Actuellement, 900 millions de personnes n'ont pas accès à l'eau potable. Bien souvent, ces personnes n'ont pas d'autre choix que de boire de l'eau non potable et sont alors victimes de maladies.

Est-ce que notre avenir ressemblera à l'image de gauche ou de droite ? Tout dépend de notre attitude **aujourd'hui**. Pour beaucoup, il ressemble déjà à l'image de droite.

L'eau est donc très précieuse et rare.
Pas étonnant qu'on la surnomme « l'or bleu ».

Il faut donc faire attention à ne pas la gaspiller inutilement. Car l'eau file vite ! Rien qu'en tirant la chasse, ce sont 10 litres d'eau qui partent ! Ça ne veut pas dire qu'il faut éviter d'aller au WC. Mais pense à tous les petits gestes qui sont à ta portée et dis-toi que des solutions existent.

PAS D'ORAGE, PAS DE PISCINE !

Une solution est la récolte de l'eau de pluie pour certains de nos besoins en eau.

LES BONS CONSEILS DE M. WRONG
Prends un bain !

Au lieu de prendre une douche, prends un bain. Tu consommeras beaucoup plus d'eau ! Comme j'ai une compagnie d'eau potable, je pourrai vendre mon eau plus cher grâce à toi et devenir encore plus riche. Je donne 3 actions de ma compagnie Wintou-min à tous les enfants qui prennent des bains ! Quoi ? À force de gaspiller l'eau, on manquera d'eau potable un jour ? Hé bien, on n'aura qu'à prendre du Coca® !

TUEURS DE BALEINES

Le Japon, l'Islande et la Norvège sont les 3 seuls pays qui chassent la baleine.

Ce grand mammifère est pourtant menacé de disparition. Selon le WWF, les autorités de ces 3 pays versent plusieurs centaines de millions d'euros depuis 1988 aux chasseurs de baleines pour encourager cette industrie. Pourtant, la chasse à la baleine est réglementée. Depuis 1986, il est interdit de chasser ce CÉTACÉ, sauf pour des raisons scientifiques.

Ces pays prennent le prétexte de la science pour continuer à chasser, ce qui ne les empêche pas de vendre la viande des baleines dans le monde.

AQUATIQUES

LE LÉZARD QUI COURT SUR L'EAU !

Son nom scientifique est *Basiliscus basiliscus*, mais sa capacité à courir sur l'eau lui a valu le nom de « lézard Jésus Christ ». Il mesure entre 25 et 75 cm et est capable de parcourir entre 10 et 20 mètres à la surface des points d'eau et autres rivières près desquels il vit, par de grandes enjambées athlétiques.

JÉSUS EST VIVANT !

... ET IL PÈSE 200 GRAMMES.

Quel est son secret ? Il tient dans sa vitesse d'accélération, mais aussi dans les franges d'écailles qui bordent ses doigts de pied et élargissent leur surface. Un stratagème rudement efficace pour planter là ses prédateurs médusés.

CE SOIR, FIESTA CHEZ MOI ! PREMIÈRE À GAUCHE, CONTOURNER LE RÉCIF DE CORAIL À DROITE ET PRENDRE À GAUCHE DE LA GROSSE ANÉMONE !

LE BRUIT MENACE LES CÉTACÉS

La pollution sonore est un nouveau danger pour les baleines et les dauphins dans les mers et les océans.

La hausse du trafic maritime, les études sismiques et une nouvelle génération de sonar militaire perturbent grandement la communication de ces cétacés qui utilisent les sons, parfois sur de grandes distances, pour communiquer, trouver de la nourriture et s'accoupler. Cette influence de la pollution sonore pourrait être une explication aux échouages de baleines sur les plages.

DES POISSONS DÉTECTEURS DE POLLUTION

En Angleterre, on a fabriqué un poisson-robot capable de se déplacer tout seul et de détecter la pollution.

Ce poisson de 1,5 mètre de long possède des capteurs chimiques pouvant identifier des sources de pollutions, telles que des fuites de carburant provenant de navires ou des produits chimiques dilués dans l'eau. Ces robots qui coûtent tout de même 23.000 euros* devraient être opérationnels en 2010.

*Source : www.developpementdurable.com

BIEN COMPRIS ! CIMETIÈRE À GAUCHE, CHORALE À DROITE JUSQU'À LA GROSSE SIMONE !

NÉCROLOGIE

Grrreeny et la communauté scientifique mondiale ont la douleur et le regret de vous annoncer la disparition du

Dauphin de Chine
(Lipotes vexillifer)

La pollution de l'eau, la détérioration de son habitat, les conséquences de la pêche et la forte présence de gros navires ont eu raison de ce mammifère d'eau douce qui vivait – jusqu'en 2006 – dans le fleuve chinois Yangzi Jiang.

LES DAUPHINS DU MÉKONG DISPARAISSENT

Les dauphins du Mékong sont menacés d'extinction au Cambodge et au Laos en raison de la présence élevée de polluants dans le fleuve. Il ne resterait que 64 à 76* dauphins de cette espèce.

ARRÊTER MES USINES POUR SAUVER 64 POISSONS ?! VOUS RIGOLEZ OU QUOI ?!

De très hauts niveaux de pesticides et de mercure ont été détectés dans les cadavres de plus de 50 jeunes dauphins. Ces polluants détruisent le SYSTÈME IMMUNITAIRE des mammifères qui succombent ensuite à des infections.

*Source : WWF.

LES DAUPHINS NE SONT PAS DES POISSONS MAIS DES MAMMIFÈRES !

UN REQUIN SUR DEUX MENACÉ

Quelque 100 millions de requins sont pêchés chaque année et, sur 64 espèces de requins, 43 % sont menacés d'extinction. Pour les requins de haute mer, cette proportion atteint la moitié.

Une sale gueule ?

Le requin n'est pas très mignon. Dans certains films, il est même présenté comme un monstre. Pourtant, il est essentiel pour l'équilibre naturel de nos mers.

Le requin est utilisé pour :

- son foie, dans la fabrication d'une huile exploitée dans des produits pharmaceutiques et cosmétiques ;
- sa peau, utilisée en maroquinerie ;
- sa chair et en particulier ses ailerons. La soupe d'ailerons est un plat asiatique réputé, de plus en plus accessible et consommé.

Source : Union Internationale pour la Conservation de la Nature (UICN).

ROB STEWART, UN HÉROS POUR LES REQUINS

Biologiste et photographe, Rob Stewart adore les requins. **Nager avec eux ? Même pas peur !** Ce militant est même très actif contre les mafias asiatiques qui tuent les requins pour leurs ailerons. Ce héros des temps modernes a réalisé plusieurs films pour nous sensibiliser au sort des requins et a risqué plusieurs fois sa vie pour eux.

LES BONS CONSEILS DE M. WRONG

Ma recette de soupe aux ailerons de requins !

Chasser des requins et couper leurs ailerons. Jeter le surplus à la mer. Préparer un bouillon de poissons et y faire bouillir les ailerons des requins. Ajouter des nouilles, du gingembre (c'est à la mode !) et de la coriandre. Quoi ? Les requins sont essentiels à l'équilibre de la vie aquatique et ils sont menacés d'extinction ? Hé bien moi je dis que, contrairement au dauphin, le requin est laid et ne fait même pas d'acrobaties. Donc, il doit bien nous servir à quelque chose ? Comme à faire de la soupe ! Et si vous y ajoutez quelques tranches de dauphins, c'est encore meilleur !

IL COMMENCE À ME GONFLER CELUI-LÀ ...

ÉCONOMIES D'EAU

CRUMBLE DE LA MER

Temps de préparation : 15 min. Cuisson : 30 min. + 20 min. pour les pommes de terre.
Pour 3-4 personnes, il te faut : 3 sardines en filet, 3 pommes de terre moyennes, 30 g de parmesan râpé, 30 g de pain complet sec, 30 g d'amandes en poudre, 20 g de beurre, 1 c. à soupe d'huile d'olive, 3 pincées de sel.

1 Fais cuire les pommes de terre pendant 20 min. dans de l'eau. Pèle-les, écrase-les. Ajoute 2 pincées de sel et l'huile.

2 Préchauffe le four à 230°. Étale la purée dans un petit plat à gratin. Recouvre-la avec les filets de sardine, la chair vers le bas.

3 Émiette le pain (tu peux l'écraser avec un rouleau à pâtisserie). Mélange-le avec le parmesan, la poudre d'amandes et 1 pincée de sel. Malaxe avec le beurre. Répartis cette pâte à crumble sur les sardines.

4 Fais cuire dans le four pendant 30 min. Le crumble doit être doré.

Tu peux aussi réaliser cette recette avec des sardines en boîte. Seule différence : égoutte-les bien et ne mets pas d'huile dans la purée.

LA FORÊT
ET SES SECRETS

La forêt est un lieu magique. C'est l'habitat de beaucoup d'espèces et c'est un endroit fascinant à explorer. En plus, elle a un rôle très important : c'est grâce à la forêt qu'on respire.

Et nous, est-ce qu'on la laisse respirer ? Lili a mené son enquête...

LA FORÊT

Avant de vérifier si nos forêts se portent bien ou pas, j'ai voulu savoir pourquoi elles sont aussi importantes pour la survie de tous et j'ai trouvé l'explication.

NOUS REJETONS TOUS DU CO_2 DANS L'AIR !

Pour vivre, nous devons respirer. D'abord, on INSPIRE en faisant entrer de l'air par le nez ou la bouche. En inspirant, on fait entrer dans nos poumons de l'oxygène (O_2).

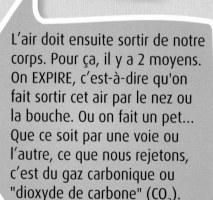

OUAH ! ÇA FOUETTE SON CO_2 !

PÉSSÉT

L'air doit ensuite sortir de notre corps. Pour ça, il y a 2 moyens. On EXPIRE, c'est-à-dire qu'on fait sortir cet air par le nez ou la bouche. Ou on fait un pet... Que ce soit par une voie ou l'autre, ce que nous rejetons, c'est du gaz carbonique ou "dioxyde de carbone" (CO_2).

En somme, nous avons besoin d'oxygène et nous rejetons dans l'air du CO_2, juste pour respirer. Donc, quand nous respirons, nous contribuons à augmenter l'effet de serre, mais de manière naturelle.

ET SES SECRETS

LES PLANTES LIBÈRENT DE L'OXYGÈNE !

Les plantes (qui incluent aussi les arbres et les algues) ont besoin de 3 choses pour vivre et grandir : de l'eau, du soleil et du gaz carbonique (CO_2).

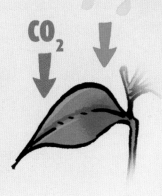

Durant la journée, les plantes captent la lumière grâce à des pigments (dont la *CHLOROPHYLLE*) et la transforment en énergie.

Par la suite, les plantes consomment du CO_2 et de l'eau. Elles peuvent alors pousser.

Enfin, les plantes rejettent de l'oxygène et c'est cet oxygène que nous respirons.

Ces trois étapes constituent ce que l'on appelle la **photosynthèse.**

LA DÉFORESTATION, C'EST QUOI ?

C'est quand les forêts disparaissent parce qu'on a coupé trop d'arbres.

Même si on plante d'autres arbres à la place, il faut des années pour qu'ils grandissent. Donc, si on coupe trop d'arbres trop vite, la forêt finit par disparaître.

La déforestation n'est pas un problème récent. Entre le Moyen Âge et le 19e siècle, la France est passée de 90 % à 15 % de forêts.

C'EST POSSIBLE D'AVOIR UNIQUEMENT UN RAFRAÎCHISSEMENT DERRIÈRE LES OREILLES ?

NON ?

POURQUOI LA DÉFORESTATION ?

Pour avoir plus de terres pour l'agriculture

Pour produire des choses à base de bois (meubles, papier, etc.)

Pour avoir de la place pour construire (maisons, immeubles, etc.)

Régulation du climat

En absorbant le CO_2, les plantes régulent le climat et diminuent le taux de gaz à effet de serre.

Qualité de l'air

À travers la photosynthèse, les plantes produisent de l'oxygène grâce auquel nous pouvons respirer. Vachement important, car quand on ne peut plus respirer, on meurt... Les forêt sont les plus grandes productrices d'oxygène de la planète après les algues et le PHYTOPLANCTON.

Habitat des espèces

Des millions d'espèces vivent dans les forêts. Sans les forêts, ces espèces seraient des sans-abri...

Protection des sols

Les forêts protègent les sols contre les intempéries. Sans elles, les sols s'abîmeraient rapidement.

Voici 2 labels que tu pourrais trouver sur certains produits à base de bois (enveloppes, étagères,...).

FSC   PEFC

Ils donnent des garanties sur la bonne exploitation des forêts.

LE CAFÉ MENACE LES FORÊTS ET LES TIGRES

Le tigre de Sumatra est une des espèces les plus menacées de disparition avec à peine 500 tigres encore en vie.

Pourquoi les tigres sont-ils menacés ?

Les braconniers les chassent pour :
- 🐾 leur peau
- 🐾 leurs griffes
- 🐾 leurs dents (vendues comme trophées).

Ce qui reste est vendu à la médecine traditionnelle asiatique.

Un autre péril pour le tigre de Sumatra : le café !

En effet, le café Robusta vient de l'île de Sumatra. Sa production rapporte tellement d'argent que les fraudeurs sont parvenus à installer des plantations illégales jusque dans les réserves naturelles où vivent les tigres censés y être protégés.

FORESTIÈRES

TOUJOURS CE PROBLÈME DE TERRES CULTIVABLES ! ESPÉRONS QU'ON RÉAGISSE À TEMPS POUR LE TIGRE DE SUMATRA !

On estime aujourd'hui que plus de 1/5e du territoire de la réserve du Bukit Barisan Selatan, qui abrite éléphants, rhinocéros et tigres, a disparu au profit de ces cultures illégales de café.

La plupart des espèces sauvages vivant dans le parc ont déjà dû déserter ces zones de culture.

ALORS SI TES PARENTS SONT AMATEURS DE CAFÉ, TU PEUX DÉJÀ LEUR DIRE D'ÉVITER LE CAFÉ ROBUSTA...

Il reste moins de 5.000 tigres vivant à l'état sauvage sur la planète.

LE DÉSERT AVANCE ET LES FORÊTS RECULENT...

Un tiers de la superficie de la Terre est aujourd'hui menacé par la désertification.

La désertification ?

C'est un processus naturel ou causé par l'homme, qui se produit quand les terres se transforment en désert.

Ça se produit quand ?

Avec le réchauffement des températures, mais aussi quand on rase des forêts pour cultiver des terres. Le sol s'abîme, devient plus sec et finit par ressembler à un désert.

Même en replantant des arbres, on n'arrive pas à rattraper le coup. Un arbre, ça se coupe plus vite que ça ne pousse !

> D'après l'UNESCO, 1/3 des terres sur notre planète est menacé par la désertification ...

KSSSSSSS

TROP FORT, LE SCARABÉE RHINOCÉROS !

Le scarabée rhinocéros est l'insecte, mais aussi l'animal vivant sur Terre, le plus fort du monde.

Reportée à l'échelle de l'homme, cette performance se traduirait par le déplacement d'un poids d'environ 63 tonnes, soit celui d'un énorme semi-remorque de 25 mètres de long !

Plus fort que Hulk, en somme (Hulk, **un autre militant écologique**, ben oui, il est vert !).

Le genre d'exploit qui serait bien utile pour, par exemple, défendre les forêts amazoniennes contre les bulldozers.

Il peut supporter sur son dos 850 fois son propre poids !

?

OUSTE !

LE OUAKARI CHAUVE CONNAÎT DES PROBLÈMES DE LOGEMENT

TAILLE : 50 CM

POIDS : 3 KG

ESPÉRANCE DE VIE : 40 ANS

TRUC SPACE (À PART SON VISAGE) : IL A UNE TRÈS PETITE QUEUE (15 CM).

CELUI-LÀ, IL A UNE VRAIE TÊTE DE FESSE DE BABOUIN !

BEN MOI, JE LE TROUVE MIGNON…

TU CROIS QU'IL MANGE DES SUPPOSITOIRES ?

Petit primate au visage rouge vif (parfois rose clair) et qui ne possède pas de poils sur son crâne, d'où son nom ! Il est omnivore, c'est-à-dire qu'il mange un peu de tout (graines, fleurs, petits animaux).

Il habite dans les forêts marécageuses (Colombie, Pérou, Brésil). Malheureusement, le Ouakari Chauve est menacé par la chasse et la destruction de son habitat.

LES BONS CONSEILS DE M. WRONG

Jette tes déchets en forêt !

Il paraît qu'il faut protéger la forêt ? En voilà une bonne idée ! Alors, fais comme moi. Lors de ta prochaine balade dans les bois, jette tes restes de pique-nique par terre. Et si tout le monde s'y met, la forêt va être tellement sale et repoussante, que personne ne voudra plus jamais s'y promener. La forêt sera ainsi préservée ! Alors, on dit merci qui ?

LES SURPRISES DE LA BIODIVERSITÉ

AH, LES ENFANTS! VOILÀ UN BEAU SPÉCIMEN POUR UN PETIT COURS DE BIOLOGIE.

MARRANT, CETTE FLEUR RESSEMBLE À UN GROS OEIL.

NE VOUS APPROCHEZ PAS TROP! SES CILS RÉAGISSENT AUX DÉPLACEMENTS D'AIR.

ET ELLE PROJETTE SUR LES CURIEUX QUELQUES GOUTTES DE SÈVE QUI LES NEUTRALISENT.

AAAAAAH!

C'EST DU POISON?

NON, C'EST UN PUISSANT SOMNIFÈRE.

AH, IL DORT, LE MONSIEUR?

EUH... PAS VRAIMENT. LA FLEUR ABSORBE ENSUITE LA PROIE ENDORMIE AVEC SES RACINES.

SCHLPORRRR

MIDAM . ADAM . PATELIN

4

POMME DE TERRE MUTANTE

Matériel : une boîte à chaussures, une pomme de terre, un vieux carton, du papier collant, une paire de ciseaux.

1 Mets le couvercle de côté et mesure l'intérieur de ta boîte en hauteur et en largeur. Découpe une ouverture dans un des petits côtés.

2 Découpe quelques morceaux de carton : leur longueur doit être plus petite que la largeur de la boîte. Leur hauteur, par contre, doit être plus grande que celle de la boîte. Prévois par exemple 1 ½ cm de plus en hauteur et plie le carton juste à cet endroit-là.

3 Avec du papier collant, fixe solidement les bouts de carton dans le fond de la boîte dans le sens de la largeur, en alternance pour former une sorte de labyrinthe.

4 Place une pomme de terre dans la boîte le plus loin possible du trou, remets le couvercle et stocke-la dans un endroit sec.

4 Après plusieurs jours, des germes vont apparaître par le trou. Soulève le couvercle et admire le chemin que la pomme de terre s'est frayé pour se diriger vers la source de lumière. Car la lumière est indispensable aux plantes et les attire comme un aimant.

L'EXPÉRIENCE ACHEVÉE, NE CONSOMME PAS CETTE POMME DE TERRE.

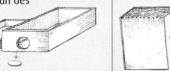

LE DICO DE L'ÉCOLO ÉCLAIRÉ

Voici quelques mots-clés vus tout au long des chapitres. Lucy les a mis en lumière grâce à son derrière.
Tu trouveras aussi quelques mots nouveaux que nous étudierons plus longuement dans tes prochains Carnets de Grrreeny !

AGRICULTURE BIOLOGIQUE : C'est quand on fait de l'agriculture en respectant au maximum la nature. On va donc éviter d'utiliser des pesticides, engrais chimiques et OGM.

ANTHROPIQUE : On dit qu'une source de pollution est anthropique quand elle est liée aux activités humaines. Par exemple, une usine qui rejette de la fumée dans l'air.

BIODÉGRADABLE : Une chose est biodégradable quand elle peut être décomposée naturellement par des organismes vivants.

COUCHE D'OZONE : C'est du gaz appelé ozone qui s'est concentré de manière naturelle dans la stratosphère, c'est-à-dire une zone de l'atmosphère située entre 12 et 50 km d'altitude. L'ozone absorbe la plus grande partie des rayons ultraviolets du soleil, des rayons qui sont dangereux.

CÉTACÉS : Ce sont des mammifères vivant dans les eaux salées ou douces, parmi lesquels on compte notamment les baleines et les dauphins. Étant donné que leur milieu est aquatique, ils sont souvent confondus avec les poissons, mais c'est une erreur. Leur queue est à l'horizontale, contrairement à celle des poissons qui est à la verticale. Ils ont un orifice, l'évent, au sommet de la tête, qui leur sert de narine pour respirer, sans devoir sortir complètement la tête de l'eau. Ils possèdent une intelligence supérieure à la plupart des espèces, ce qui leur a valu un malheureux rapprochement avec l'homme qui n'a rien trouvé de mieux que de les capturer pour en faire des spectacles. C'est le cas des dauphins et des orques.

CHLOROPHYLLE : C'est un pigment qui se trouve dans les plantes aquatiques et terrestres. Grâce à la chlorophylle, la plante capte la lumière du soleil et transforme l'énergie lumineuse en énergie chimique qui sert à réduire le CO_2 et qui permet aux plantes de grandir.

DÉGAZAGE SAUVAGE : C'est le rejet illicite en mer de restes d'hydro-carbures, d'huiles et d'autres produits chimiques par des navires. Une opération polluante mais tellement bon marché pour les voyous des mers.

DÉVELOPPEMENT DURABLE : C'est quand on cherche à développer la société de façon équitable, en protégeant la nature tout en garantissant une bonne qualité de vie aux générations actuelles et futures. On répond ainsi aux besoins de l'environnement et de l'homme de manière équilibrée.

ÉNERGIE RENOUVELABLE : C'est une énergie qui ne risque pas de s'épuiser, car elle se reforme sans cesse.

ÉNERGIE PROPRE OU ÉNERGIE VERTE : C'est une source d'énergie disponible dans la nature et qui pollue peu.

FLORE : Ce sont toutes les espèces végé-tales qui vivent dans un milieu déterminé. Quelques exemples: la flore des mares, celle de Madagascar, etc.

FAUNE : Ce sont toutes les espèces animales qui vivent dans un milieu déterminé. Quelques exemples : la faune des forêts, celle du Pôle Nord, etc.

GAZ À EFFET DE SERRE OU GES : Ce sont des gaz pré-sents dans l'atmosphère qui retiennent une partie de la chaleur dégagée par la Terre. Pour beau-coup de scientifiques, les activités humaines polluantes en sont très probablement respon-sables et ça dérègle le climat.

HABITAT : C'est l'endroit où des espèces (animaux, plantes, etc.) vivent.

GENRE :
En biologie, c'est un groupe d'es-pèces qui ont en commun plusieurs caractères similaires. Par exemple, le genre Panthera comprend 4 es-pèces : léopard ou panthère, tigre, lion et jaguar.

LABEL ÉCOLOGIQUE OU ÉCOLABEL : C'est un étiquetage qu'on utilise sur un produit pour indiquer qu'il respecte le plus possible l'environ-nement dans tout son cycle de vie.

MAMMIFÈRES : C'est une classe d'animaux cou-verts de poils et ayant des vertèbres. Les femelles allaitent leurs petits grâce à des mamelles. On en dénombre plus de 5000 espèces. Ils sont surtout terrestres (tigres, antilopes, ours...), marins (baleines, phoques...) ou, plus rarement, volants (chauves-souris). L'être humain en fait aussi partie !

MARÉE NOIRE : C'est la nappe qui se forme quand du pétrole et des hydrocarbures ont été déversés en mer, par accident ou volontairement. Une vraie plaie écologique.

OGM OU ORGANISME GÉNÉTIQUEMENT MODIFIÉ : Aujourd'hui, on est capable de transformer artificiellement les espèces en manipulant leurs gènes. On peut ainsi modifier un légume pour le rendre plus grand ou pour qu'il ait besoin de moins d'eau pour pousser. Le problème est qu'on ignore si c'est dangereux ou pas pour la nature elle-même et pour nous qui mangeons ces aliments.

PHYTOPLANCTON OU PLANCTON VÉGÉTAL : C'est un ensemble d'organismes végétaux aquatiques, composé d'algues microscopiques qui vivent librement en suspension dans l'eau.

PRIMATES : Ils font partie des mammifères placentaires, c'est-à-dire dont les bébés se développent entièrement dans le ventre de leur mère grâce au placenta d'où ils puisent leur nourriture. Ils ont généralement le cerveau plus développé que les autres mammifères. On y retrouve entre autres les singes, les lémuriens et les êtres humains.

PRISES ACCESSOIRES : Ce sont les animaux marins (poissons, crustacés, tortues...), piégés accidentellement dans les filets de pêche et sacrifiés pour rien.

PHYLOGÉNÉTIQUE : C'est ce qu'on dit d'une classification des êtres vivants selon leurs relations de parenté. Elle répond à la question « qui est plus proche de qui ? » (et pas, comme dans la généalogie, « qui descend de qui ? ») et est basée sur les caractères génétiques des organismes.

PRÉDATEUR : C'est un être vivant qui en capture un autre, sa proie, et le tue pour se nourrir.

RECYCLAGE : C'est quand on donne une seconde vie aux déchets industriels ou ménagers. Une fois récupérés, ils sont triés, traités et transformés.

TRANSGÉNIQUE : C'est ce qu'on dit d'un être vivant quand il a été modifié génétiquement.

SURPÊCHE : C'est quand on pêche de manière tellement intensive les espèces vivant dans l'eau, comme les poissons, qu'elles n'ont plus le temps de faire assez de bébés et il arrive que ces espèces disparaissent.

UV OU RAYONS ULTRAVIOLETS : Ce sont des radiations électromagnétiques qui ont une longueur d'onde située entre celle de la lumière visible et celle des rayons X. Les rayons UV du soleil, en trop grosses quantités, sont mauvais pour la santé.

SYSTÈME IMMUNITAIRE : C'est tout ce que l'organisme a comme moyens de se défendre contre les maladies. Ce système repère les éléments étrangers au corps et, en cas de danger, déclenche une réaction.

VOITURE HYBRIDE : C'est un véhicule qui dispose à la fois d'un moteur à essence et d'un moteur électrique. En combinant ces deux technologies, on peut réduire les émissions de CO_2 et diminuer ainsi l'impact sur l'environnement.

TABLE DES MATIÈRES

GRRREENY EST UN UNIVERS DE MIDAM

l'agenda 2010-2011

Juillet 2010

Avec sa page d'identification au look de dossier classé top secret, la formule chimique de l'acide sulfurique, une marche à suivre pour faire des origamis de monstres, cet agenda, c'est du 100 % Kid Paddle ! En plus, toute les semaines, une anecdote très space, comme Kid les aime... Bref, l'agenda dont Kid Paddle a toujours rêvé !

Tome 5

Septembre 2010

Retrouve le héros virtuel des jeux vidéo avec lequel Kid ne se lasse pas de jouer ! La BD muette la plus délirante au monde !

Et si tu as des idées de gags, RDV sur www.gameoverforever.com. Tu seras peut-être dans le prochain tome de Game Over !

 **et ses monstres**

Novembre 2010

Kid adore les monstres. Il te les fait découvrir dans la Delirious Collection. Kid te raconte qui est réellement Dracula, ce qui a vraiment traumatisé Jason, le psychopathe des Vendredi 13 ou la naissance quelque peu compliquée de Freddy Krueger.

 **Tome 12**

Septembre 2011

Le très attendu tome 12 est en chantier. Midam travaille d'arrache-pied sur cet album qui marquera le grand retour de Kid Paddle en BD !

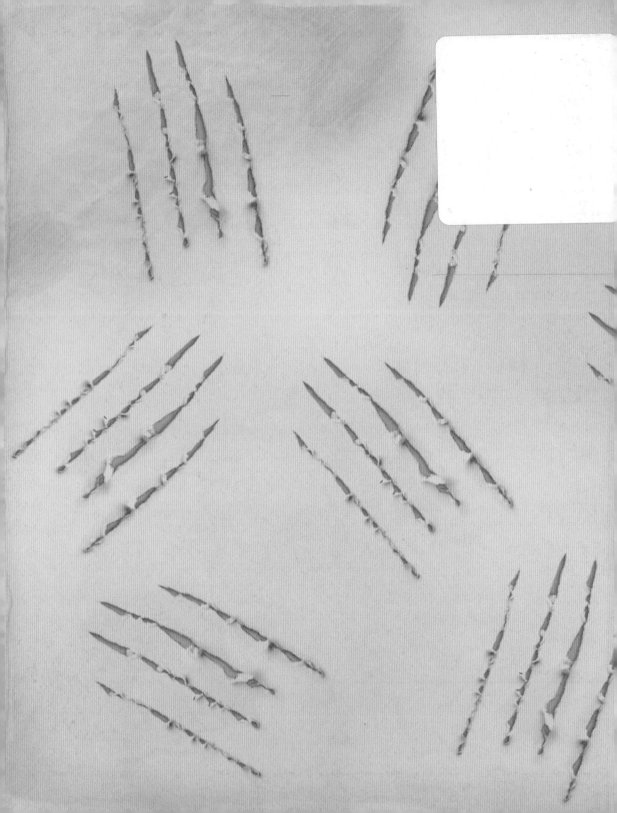